U0000425

Dustykid®

將此書送給一直讓我任性的

爸、媽

You'll never walk alone!

Dustykid® 塵話過①

<100個生活基本>

自序

大家好!我叫RAP,是Dustykid的作者。

由於經常鼻子過敏,所以「塵」對我來說其實很麻煩,只要空氣稍稍不好,我就會瘋狂打噴嚏!那些看不見又觸不到的塵,在我每次打噴嚏的時候都會感到他們的存在,這種體驗是很真實的。在生活中,我們每每都會遇到一些小事,可以直入神經,觸及我們某個按鈕,令我們產生巨大的反應,這是人的天賦,只屬於人的神奇。

我天生屬於容易因小事而敏感的那一類人,可能因此我腦海經常會因應情況而出現一些如「不要麻煩人啦」及「其實你也不算太差」等負面或正面的句子。小時候,我很害怕做錯事、怕別人不喜歡、習慣性地把情況想像到無限壞,情緒波動得令我著了魔般不停透過跟別人交談去抒發自己的情感。但大家都知道,別人很難設身處地去明白自己的實質感受,反而透過一些簡單句子,更能進入心扉,治療傷感。

現在人大了，書看多了，腦袋也夠成熟去處理情緒，而腦海出現的句子已被我視為內心對自己的安慰，每次遇到好句子，我也會紀錄。可能這種技能是神賜予我的，要我來地球完成一些任務，所以我就決意將這些句子透過雙手傳閱去，而我雙手唯一懂的東西，就是「畫畫」。

當初構思 Dustykid 時，已打算用最簡單的方法說故事。即是一幅圖畫，一段文字，一個笑，就是 Dustykid 的重心。然後，如何把這些信息發送出去呢？我選擇了郵寄明信片，一種我認為最有人情味的溝通方式，大概沒有人會寄明信片給自己的仇人吧，哈哈，我也相信明信片上寫的，一定是美好的話語。而這個過程最重要的部份是分享，Dustykid facebook 專頁的成功，也是因為網上的塵民喜於分享令他們有所共鳴的話語。

我們時而強壯，有時軟弱。我們的狀態很受周遭的環境和本身的靈性修為影響，我希望在這一生人可以利用我對世界的敏感，透過塵的笑，跟大家在心靈上一同成長。+♡⁺

心靈健康，笑容靚靚，好事就會在某個陽光普照的日子，風光明媚的早上，緩緩地來到你身旁。

RAP

邀序

要說Dustykid是什麼？

可能是您的心靈特效藥，感到鬱悶翻看亞塵的圖文短句，感到快樂一點、輕鬆一點；

可能是陪您出走的旅行伙伴，跟您遊歷世界，看盡無盡的沿途風光；

可能是床鋪上的一隻毛毛公仔，失戀的時候陪你喊，成功的時候陪您笑，

經歷每一個大小的時刻。

對我來說，亞塵是我的夢。小時候，我的夢想是成為漫畫家，希望能創作可以改變世界的作品，

可惜我天份不高，很快就知道自己不是漫畫家的料子。雖然如此，我還是沒有放棄我的漫畫夢，

一直也在等待機會，成立自己的廣告工作室之後，主力從事很多有關動漫授權的項目。

雖然當不能漫畫家，也希望有一天可以用另一個方式實現夢想。直到了2013年年初，

這個機會出現了，Rap走進了我的辦公室，看著亞塵的句子，我感到莫名的親切。

亞塵簡單的幾句，包含了各種博大精深的心靈哲學。經過互相了解，

決心以經理人的身份，陪塵走遍世界。

台灣是我們走向世界的第一步，修訂後的台灣中文版把香港的地道用語修改了，

期望台灣的粉絲可以用更親切的文字進入亞塵的世界！

塵經理人 黃崇堅

目錄

書的使用方法

不應該

傷心時不要
用它來抹眼淚。

有共鳴時
不要撕下一頁,
當明信片寄給朋友。

應該

傷心時應隨便打開一頁,
然後對號入座。

有共鳴時應多買兩本,
一本用來撕,
一本用來讀,
一本用來收藏。

不要用它來
墊高桌腳。

應用它來墊高枕頭，
睡不著拿來看。

擺放多年後
佈滿灰塵時，
不要將塵吹走。

擺放多年後，
應將灰塵收集，
然後整作一粒塵。

看完後自我
感覺良好。

看完後上
Dustykid Facebook專頁
或Instagram，認識
塵世間的塵友。

塵何來？

一塊大岩石 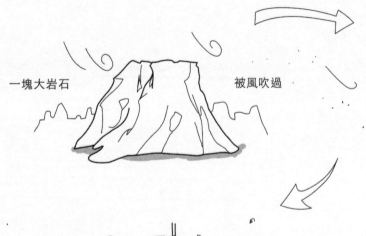 被風吹過

帶走了一些體積不到萬分之一米的顆粒

稱為「塵」

塵隨風而飄 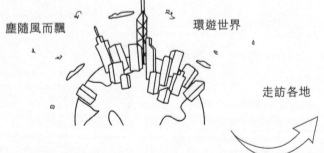 環遊世界

走訪各地

 人類都討厭塵

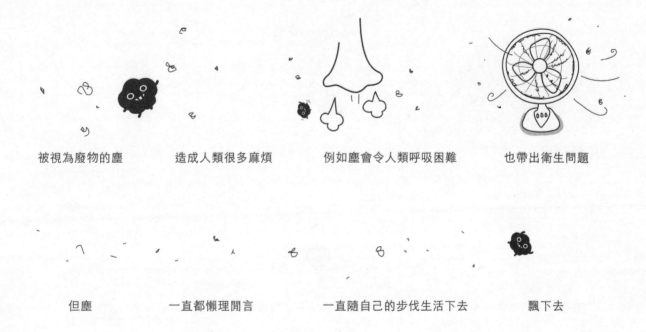

被視為廢物的塵　　　造成人類很多麻煩　　　例如塵會令人類呼吸困難　　　也帶出衛生問題

但塵　　　一直都懶理閒言　　　一直隨自己的步伐生活下去　　　飄下去

你知道天空為什麼是藍色的？

那是因為有塵，將藍光散射

沒有塵，天空只會是白茫茫

你知道為什麼會有雲？

那是因為水蒸氣會依附著塵

沒有塵，就沒有雲；
沒有雨，也就沒有彩虹

有天，塵飄進了一個男孩家 ——

是一個不怎麼愛整潔的男孩家

由於沒有被驅趕，塵就住了下來

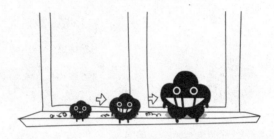

男孩長年疏於打掃，所以塵一天一天積聚、長大

塵一直坐在窗的一角望著男孩

陪著男孩經過所有的開心、傷心時刻

也看著男孩由電玩狂變成工作狂

這些年來，塵透過男孩明白到所有人⋯　都會經歷喜怒哀樂⋯　都會經歷離合聚散⋯　但最終都能自我復元

人的心總會有下雨的時候，
這時塵就會推開窗戶⋯

讓雨水化作酒滴，為你的傷心乾杯。
然後塵就會坐下來靜聽故事，直到酒醉為止⋯

跟塵乾杯!

很老套的跟我說句:

「我們都是塵!」

人和塵的本質有何分別?沒有啦。

大家都是微小的、大家足跡都遍佈地球、大家性格都很麻煩...最重要的是,當大家聚在一起時都是很難纏、難以被消滅的。既然大家品性相近,不如就由今天開始,跟身邊積聚了十多年的塵交個朋友,讓塵成為你的永遠夥伴吧!

滿足生命

現在就讓我們放空一下，將自己比作塵，
飛到天上，用客觀的角度回望地上的人。

生命本身主要由三個層次組成：

〈基本〉 人都擁有天賦的、不用額外教授的能力，如呼吸、飲食、行動和睡眠等。這也是人類生存的基本技能。

〈思想〉 思想本身非常容易受到周遭事物影響，然後成為對人類自身的規範。它主宰著人類行為和做事方式，也是製造所有情緒的來源。

〈生活〉 人類跟動物不同，當人類滿足了生存的基本需求後，就會追求精神上的寄託。我們會跟別人建立關係，會主動去探索，會去尋求享受，是為生活。

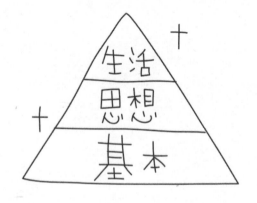

每個層次都環環相扣，滿足不了「基本」就會死，
沒有自我「思想」就變成行屍走肉，
忽略精神「生活」也就失去了生存的意義。

簡述每一層的關係

〈基本〉

阿塵肚子餓

人類會飢餓，因為身體需要食物，生命才得以維持。

〈思想〉

阿塵很想吃火鍋

人類遇到問題，大腦就會即時作出相關反應，這些反應源自於自身的經歷總結與歸納，從而判定行為。能依從行為，人便會快樂。

〈生活〉

阿塵選了最愛的火鍋店

當人類決意做一件事，就會習慣根據自己的能力去追求最好的選擇。目的不是單純為了滿足身體需求，更是要追求精神上的滿足。

生活 ~~滿足~~ 思想

昨天吃火鍋的經驗，並不能滿足今天的慾求。
生活資源有限，而思想本是無限。用有限的東西又怎能滿足無限呢？

延伸思考 ——————————————————————————————————→

思想 滿足 生活

但人類可以限制思想，去接受生活上的不足。

思想 ~~滿足~~ 基本

思想可以幻想出用餐情況，但不能代替用餐。
虛擬的影像又怎能滿足實質的需求呢？

延伸思考 →

基本 滿足 思想

當滿足不了身體的基本需求時，人類思想中的慾望就會回歸最簡單。

「基本」、「思想」、「生活」都是構成整個生命的重要元素。
想快樂地享受生命，就要學習滿足它們。
所以我們只好自我提升，好好了解每一個層次⋯

基本　　　　　思想　　　　　生活
↓　　　　　　　↓　　　　　　　↓
了解基本　　　了解思想　　　了解生活

這本書的用途

阿塵會跟大家一同經歷「基本」、「思想」、「生活」三個課題。
這些課題沒有答案，也不是什麼真理，正如書名一樣，只是談「一些基本」。
建議將你的人生經歷對號入座，你將會有更多感受。

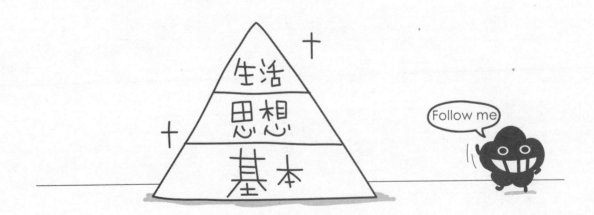

一些基本

談基本

簡單地說，生存就是補充養分、呼吸空氣、排出毒素、努力維持身體機能、盡力保護自己生命安全，就是這麼基本的一回事。

當知道生存的基本是什麼，所有事都會變得前所未有地簡單。

人生路上並沒有什麼可怕，因為你知道總能跨過；緣盡沒有什麼好傷心，因為你知道萬事都有離合；活著沒有什麼不可做，因為你知道你能在任何條件下過自己想要的生活；什麼束縛都不能限制你，因為你知道自己可以選擇。只要能滿足吃喝行睡，繼續呼吸，就可以安然追求自身之道。

繼續呼吸
安然追求自身之道

大樹

你快枯死了嗎？

對

不用替我傷心，
任何生物都會死去。

只要我有活過就可以了

什麼是活過？

我的主幹曾被斬去，
造成一艘船，航行了三十年。

我「經歷」了很多

一直以來，
很多人來過我這裡乘涼

我與很多人建立過「感情」

到今天我行將就木，
我跟你談了很多

我透過你的記憶，留下了很多屬於我的片段

經歷萬物　建立感情　留下回憶

這些都是我活著的證據

死亡不可怕，
可怕的是當死亡來臨時，

你才發覺自己沒有活過。

新陳代謝

花兒謝了

才會長出果實

乳齒掉了

才會長出恆齒

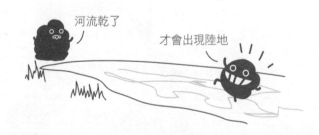

河流乾了

才會出現陸地

天下雨了

才會形成彩虹

他憤怒了

才令你反省過去

他要離開了

才令你學會珍惜

我放手了

才令你空出雙手，
拿起美好的東西

消逝　　　重新

這是萬物間的新陳代謝！

最好的東西

老富翁

我老了，我想在死前擁有世上最好的東西。

你可以照著這份清單去買嗎？

可以

最好的相機　　最靈巧的工具　　最動聽的聲音

最快的飛機　最大的記憶體　最耐用的鞋

我買回來了！

就是這個

這個…是年輕的我

= 腦
最大的記憶體

= 幻想
最快的飛機

= 眼
最好的相機

= 手
最靈巧的工具

= 口
最動聽的聲音

= 腳
最耐用的鞋

清單上的都是你一出生
就擁有的東西

只是你把它們都放到一旁去了

你的束縛早於出生時
已隨臍帶剪去了

哭吧，哭是你一出生就會的事
怎麼現在不懂了?

展開雙手，放鬆身體
你自然會離開那個冰冷、黑暗而充滿壓力的深海。

人類最愛的溫度是攝氏37度

因快樂而笑，受痛楚而哭，
只有人類能享有這份禮物。

任世界再大,我只想找個
原意活在我心內的人。

人的肩頭有個按鈕
只要被人拍一拍，心情立即就好多了。

呼吸是，把傷感呼出來
然後吸入新鮮空氣。

懶理外面環境多惡劣
我只想安於我的小空間

地球開始受到嘆氣污染

一切事如落葉，混沌過後
終會回歸平淡。

季節的設計，就是讓我們明白所有關係
都會經歷發芽、盛放、枯萎、凋謝的階段。

抬頭望天
就算在黑夜，仍能感受星星帶來的光明。

你身體在勞動
只好靠靈魂替你嬉戲

大樹寸再大
小鳥只需要一根樹枝築巢

我們認為理所當然的事
都是經過前人千萬次失敗而建立起來

真心的笑
應是心內感到被羽毛掃過般搔癢

你是《自己》這部戲的主角,
也是編劇、導演及監制。

這世界本來沒有「路」
「路」是由人行出來的

這個世界一開始並沒有「路」。

但「道」卻早就在每個人心中。

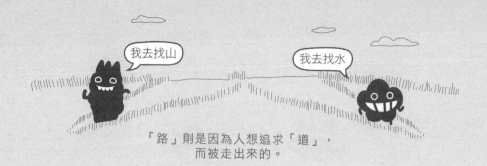

「路」則是因為人想追求「道」，
而被走出來的。

當你走到目的地，
你身後就會自然形成一條「道路」。

所有「道路」，都是由人走出來的。

在天上翱翔的小鳥沒有在意過
自己的外貌美醜

地球自轉
是為了令地上的人融和

怕冷的人怕冷，怕熱的人怕熱，

自然不過。

冰封了的情緒
只要解凍了，將會一發不可收拾

水佔人的體重70%
心下雨了，水分過多，自然需要排出。

懶惰
身體對人類辛勤活動的一種獎勵

小草從坑渠的狹縫內
也能長出花來

魚不會爬樹，但在海中來去自如，
自然界沒有「一無是處」的生物

我們會被同一塊石頭絆倒
直到我們學會跳過它

有時我們寬大得可以容下宇宙
有時卻受不了一粒沙

千億人血和淚的顏色都相同
不單你一人，我們都有相同感受。

就算是一滴海水
也有它環遊世界的故事

只要捱過難關
身體就會變得強壯

身處「困難」當中，就像困在一個密室內，難以離開。

你要離開「困難」，就要經歷無數努力和失落。

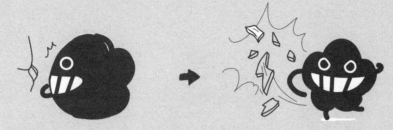

用功久了，解決「困難」的方法就會慢慢呈現。

把「困難」幹掉後，你會發現自己變得更加強壯！

一些思想

談思想

我們的行為、性格、動作，以及所做的一切決定都是源於思想。

思想本身無界限，在思想中我們可以輕易遇見一個人、到達另一個國家甚或透過幻想品嚐到某種味道。由於每個人都有不同的思想模式，而所謂的道德觀也沒有什麼實質的約束力，在腦袋24小時運作下，我們的怪念頭時常會產生不同的怪行動、怪情緒，千奇百趣。

思想無限念頭無盡，塵世的物質再豐足，也不能滿足思想的空洞；身體再努力，也不能完全回應思想的慾求，惟有從思想本身著手，加以操控，才能避免失控。

無論相距多遠
在思想中我們可以輕易遇見

印象

他擁有一張笑臉⋯　　　　經常奸笑，相信他也不是什麼好人⋯

他的笑臉令人很心寒⋯　　　經常奸笑，相信他也不是什麼好人⋯

他的笑臉使我溫暖⋯　　　　　　　　　　他很好，很會安慰我⋯

你是個什麼樣的人　　　你自然就會用什麼準則去看人　　　所以又何必要別人評價自己？

順其本性

大師，怎樣才能擁有精彩的人生？

嗯… 我有點喝，你先幫我到那邊森林拿些水給我吧。

不久之後…

我回來了！

我拿了些水給你！

嗯… 我要準備一下，你到那邊森林隨便做些什麼吧！

OK

不久之後…

嘩，你帶來了什麼？

我也摘了些
水果作晚餐

因為生水不好喝，
我找了些柴，可用來燒水。

而這塊蕉葉
可以拿來當扇子用啊！

就是這樣了…

當初你聽我指示，
回來時只帶來一瓢水。

然後我叫
你順心而行

你得到的收穫就
不止一瓢水了

明白了！

精彩的人生，
就是要順自己心意而行，你會得到更多。

變化

這個水晶球可以預測任何東西嗎？

可以

媽里媽里媽里…

最近很擔心我的將來

那可以預測我的將來嗎？

可以

你拿著這個

然後在腦海裡承諾自己，以後十年我每天都運動…

嘩…！

好強壯

你拿著這些書

然後在腦海承諾自己，
以後十年會努力讀書…

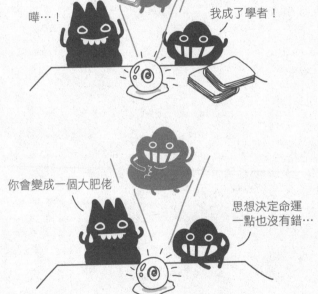

嘩…！

我成了學者！

既然如此，
我其實什麼都不用做

什麼都不做的話，
十年你就會…

你會變成一個大肥佬

思想決定命運
一點也沒有錯…

我們害怕黑暗
因為眼前充滿不確定

再偉大的空想
不及動手做的小手工

回想那年畢業
我們所期待的是怎樣的自己?

偶爾也要敲一敲腦房子的門
探望一下那個年少的自己

放棄在乎的東西，痛苦得似在心臟
用力拔出一口釘。

你愛的東西，從你贈予它感情的那一刻
它就活起來了

疤痕留在身,是要令你
記住痛楚。

價格是數字的計算
價值是感情的量度

物質只能遮蓋我們空虛的心
再多，也填補不到心內的空洞。

想有內容
就不要怕把白紙畫花

對自己好一點
聽聽自己的聲音

最愛的打扮
是你最習慣的那種

勸告是在心中撒下的種子
一年、十年、百年過去，它會發芽，並改變你的想法。

學問學懂了，就成了廢話；
廢話知得愈多，知識愈多。

前人只能為你留下文字經典
但手藝則要靠你雙手累積

我們愛花寶貴的人生時間
去看別人創作的虛構故事

每個人
可以承擔的重量不同

你以為被困
其實你腳下是一大片土地

信任如橡皮擦
每錯一次，橡皮擦便會損耗一點。

兩人之間，有一張白張

相處時做錯了事，就如寫錯了字

橡皮擦雖可擦掉錯字

但每次錯誤，都會損耗橡皮擦…

這塊橡皮擦，叫做「信任」。

隨緣、隨性、隨心而飛

明天自有明天的憂
今天開心就應今天享

權力易得
別人的擁護難求

跟隨你羨慕的人方向走吧
你會變成被自己羨慕的人

有些遺忘了的技能
你身體會替你記住

若你的船沒有來
就自己游過去吧

你是什麼人
就自然會進入什麼朋友圈子

在等著有人前來斟滿我的空杯

永遠不能保鮮的
是時間

唱片保留了歌唱者的聲音
在裡面他永遠青春

出走時保持腦海空白
騰出記憶讓經歷寫入腦中

摧毀所有你的東西
但你仍在我心裡

語言是一種
不能將心中想法完美傳達的溝通方法

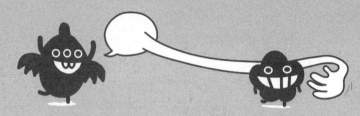

你可以用説話把人拉近

你可以用説話撫摸別人心靈

當然，你可以選擇用説話刺傷人。

你亦可以用説話將人推走

但最後，可能再也沒有人聽你説話了。

一些生活

談生活

我們都很脆弱，我們會因沉悶而厭倦生命，我們需要生活。

你有聽過你的寵物每天嚷著要不同款式或不同烹煮方法的餐點嗎？你可見過一隻正常的狗，需要打電玩來解悶、需要閱讀來增長知識、需要旅行令身心舒泰、需要透過社交網絡建立關係？但我們就是如此，只要幾天不能滿足自己，就會覺得空虛寂寞，幾個月沒為自己做做什麼事，便開始懷疑自身的價值。

現代人偶而感到抑鬱，原因是沒有生活體驗。我們每每因為不同世俗因素而終日被迫活在洞穴中。要解決問題，惟有學習用雙手使力一步一步掘開身處的洞穴，才能有機會走出去重新用五官感受世界，重新豁然開朗。

使力掘開封閉的 comfort zone
才能重新感受太陽

能力

上天賜下一些令我們與眾不同的能力

我們不像雞，會安於食同樣東西

我們花心，不像狗只愛一個主人

不像兔子般膽小

我們有文字可以留下歷史

我們有理性懂得選擇利害

我們有自己的信仰

這些能力是要我們去完成一種任務，那就去發掘吧。

轉變

嗚…

身邊所有事都變了…
我承受不了轉變…

嗯…跟你
講一個故事！

從前有個高大舊，
很喜歡自己的髮型。

髮型一輩子都
這樣子就好！

更揚言一生都不會改髮型！

半年後，他因工作太忙，沒時間理髮，結果頭髮變長了。

頭髮太長影響工作，他不得不把頭髮紮起來。

工作完成，回到家，他拿起鏡子
憂心自己的髮型很奇怪

髮型一輩子都
這樣子就好！

看了又看…發覺又不怎麼差
他又愛上自己的新髮型了

人是愛習慣的動物

每次遇到迫不得已
的轉變

都會經歷煩躁、解決、
重新接受的過程

轉變就是因為你經歷
新東西的時候了

All is well！

空洞

回家…很悶，很無聊。

講電話…很悶，很無聊。

打電玩…很悶，很無聊。

為何我不開心？
我覺得心仍是空空的？
難道別人的音樂只是暫時的麻醉劑？

看來我要建立一些自己的東西
把心好好填補…

你不能選擇出生的地方
但可選擇成長的地點

同伴是沿路上最美好的風景

找一個願跟你練習失敗的夥伴

斷掉了的繩就算重新接上
仍會留下糾結

要解決工作壓力
就是把工作解決

人生是一場
沒有既定終點的馬拉松

我們總期望能坐上時光機
回到受傷前的時光

總能從雜物堆中

嗅到昔日的氣味

青春沒有失去
它在你背後推動著你

走到語言不通的國家，邊走邊唱歌，
盡情做些未做過的事吧！

我想不用醉酒
也能跟你傾訴所有

燦爛的時代，像開出的郵輪，
一去不知何時歸來。

適當地處理失敗
可讓你站得更高

年老時，皺紋會幫你記錄這一生
到底是笑多還是愁多

你多姿多彩的生活
是父母放棄他們所擁有的換來

你知道嗎? 黃金被發現前
只是活在沙堆裡的一粒小沙

親手栽花，有開花
有不開花的。

因有人好好的扶持著你
你才能安心的愈爬愈高

沒有人可以替你完成這個旅程
你必須振作

這趟旅程，你一直一個人努力地走。

在途中，你總會遇到同路人。

大家結伴同遊，好不快樂。

大家互相扶持，經歷很多。

但就算同行再久，都總會有分道揚鑣的一日。

不要緊，
這個人依然在你心裡，
伴著你走餘下的路。

生活是一杯白開水
你可以隨意改變它的味道

幸福是
我們仍有力氣去追尋幸福

你照顧我的小時候
我伴著你的大時候

無論什麼都有限期

出發吧！
「當下」就是所謂的最佳時刻

社會把我們鍛鍊得
能強、能軟、能伸、能變

你難以改變世界
但可以把它變得開心一點

每早叫我起床的
是夢想

花時間在那些
會向你表露最傻瓜一面的人

垃圾是曾經受過寵愛的東西

原本地球
是沒有「立入禁止」路牌的

有誰可以判定
可樂還是咖啡比較好喝？

任何谷底都設有彈簧床

你被某些東西絆倒，跌入深谷。

你一直跌，一直跌，
憂慮的你不斷想方法停止下跌。

你嘗試掙扎，
希望用自己的力量重返高位。

但時間久了，雙手乏力了，
放棄了，你開始接受下跌的事實…

這時，繼續保持樂觀，
用最好的姿勢迎接谷底。

谷底其實安裝了一張彈簧床，
你準備愈充足，
反彈回高位的機會就愈高。

我們是？

這顆星，叫大犬座VY（VY Canis Majoris）
從地球看上去，只是和其他星星一般尋常，一般普通。

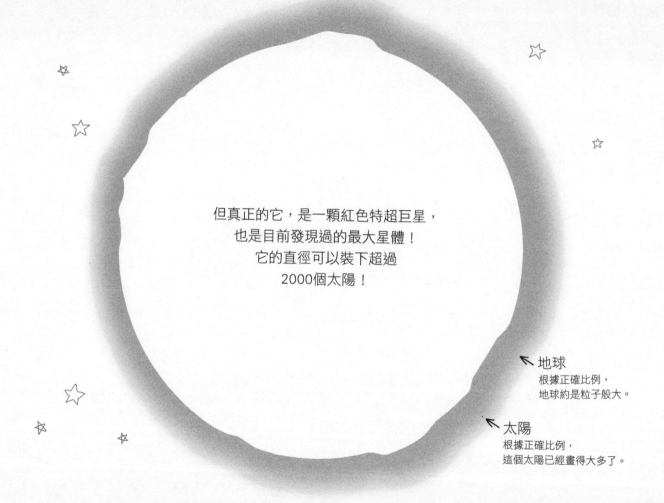

但真正的它，是一顆紅色特超巨星，
也是目前發現過的最大星體！
它的直徑可以裝下超過
2000個太陽！

↖ 地球
根據正確比例，
地球約是粒子般大。

↖ 太陽
根據正確比例，
這個太陽已經畫得大多了。

這顆星的偉大，遠遠超乎我們想像…

大家都知道，光繞行太陽一周需時14.5秒，
而光繞行大犬座VY一周需約8.5小時！

簡單來說。如果使用地球上最先進的民航客機
環繞它一周就需時1100年，意即機長
要經歷起碼20代才能完成旅程…

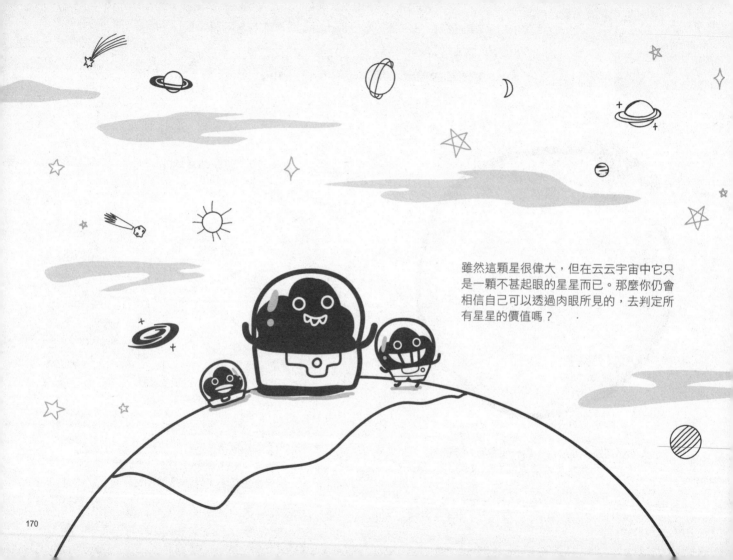

雖然這顆星很偉大，但在云云宇宙中它只是一顆不甚起眼的星星而已。那麼你仍會相信自己可以透過肉眼所見的，去判定所有星星的價值嗎？

人類，看上去就像這些細小的微塵，
從外表分不出身分，看起來都黯淡無光，不外如是…

但深究後你會發現
其實每一個人，每一粒塵
內裡都有一個不為人知的偉大故事！

請相信我們這些活在塵世中的塵

細小，但偉大！

（後記）Rap Chan 陳塵

有一年我經歷重大失去，整個人變得沮喪。突然沒有了人生目標，前路變得一片灰濛，幸好當時正值長假，我跟了家人去旅行散心。

雖說是家庭旅行，但我經常離團出走，因為實在壓抑不了負面的情緒，任身體再理性地扮演著一個成熟的大人，努力地利用假期去拋開傷感，但我們是富有感情的人，又如何開心？

有一日，我到了一個海灘，獨自一人走了出海，站在海中央，朵望著遠方的海平線，兩小時。

聽海聲，望天空，然後人突然揚升，「走出自我，在旁邊觀察痛苦會沒有那麼痛。」

就這樣，我重新快樂。

enlighten 亮光
&fish 光

書名	Dustykid塵話過1〈100個生活基本〉	出版	香港商亮光文化有限公司 台灣分公司
作者	Rap Chan 陳塵		Enlighten & Fish Ltd Taiwan Branch(HK)
出版人	林慶儀	電話	（886）2391 9773 /（852）3621 0077
編輯	亮光文化編輯部	傳真	（886）3322 9717 /（852）3621 0277
設計	Breeze Factory Ltd.	電郵	info@enlightenfish.com.hk
		亮光網址	www.enlightenfish.com.hk
版權代理	Breeze Factory Ltd.	亮光臉書	www.facebook.com/enlightenfish
電話	（852）2618 6158		www.facebook.com/TWenlightenfish
電郵	info@breezefactory.com		

印刷所　　宏廣文化事業有限公司
地址　　　新北市中和區建八路205號11樓

定價　　　新台幣300元
法律顧問　鄭德燕律師

© DustyKid 2016 by Rap Chan / Breeze Factory Ltd.

二零一六年十月初版　　　　ISBN 978-988-8365-63-0　　　版權所有 翻印必究

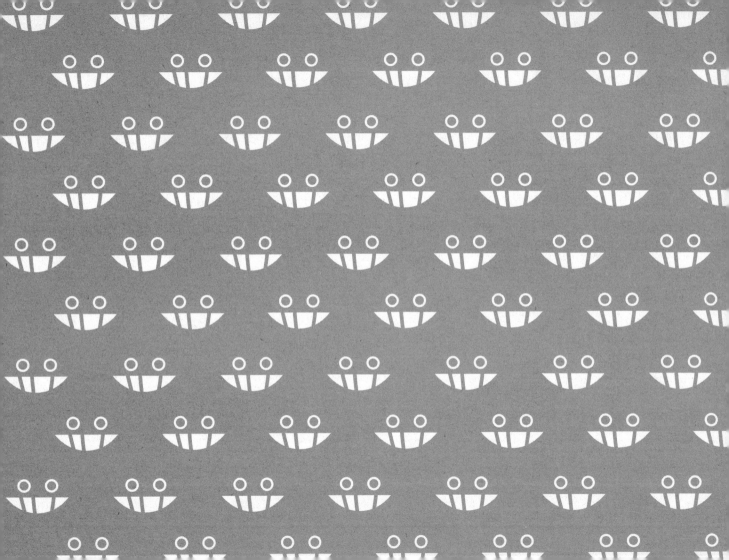